SCÉNARIO :
TRISTAN ROULOT

DESSINS :
CORENTIN MARTINAGE

COULEURS :
ESTEBAN

Pêle-mêle dans un seau, merci à tous ceux qui ont contribué d'une manière ou d'une autre à la réalisation de cet album de bande dessinée en couleur : toute la familia, Tof et l'équipe du mag, bibi l'ami qu'on nous envie, plipo les bonnes idées, grego soutien moral since 2001, la team de Nîmes (les sabinébruno, capucine, cyril &co), l'ami augustin et la spéciale dédicace à coco sans qui tout ça n'aurait pas été possible.

À hélène.

Tristan

Un grand merci à tout le monde, et surtout à toi.

Corentin

© MC PRODUCTIONS / ROULOT / MARTINAGE
Soleil Productions
15, bd de Strasbourg
83000 Toulon - France

Bureaux parisiens
25, rue Titon - 75011 Paris - France

Conception et réalisation graphique : Studio Soleil

Dépôt légal : janvier 2007 - ISBN : 978 - 2 - 84946 - 712 - 1

Imprimé et relié par PPO - Pantin - France

UNE AUBE BLAFARDE S'ÉTAIT ENFIN LEVÉE, PERÇANT LES BRUMES GELÉES.

PARTOUT LE MÉTAL HÉRISSAIT LA PLAINE.

LA TERRE SE MIT À VIBRER AU RYTHME LOURD DES TAMBOURS DE GUERRE. D'OBSCURES CLAMEURS FURENT SCANDÉES QUI PROMETTAIENT LE SANG.

LES HORDES DE LA NUIT ALLAIENT SOUFFLER LA CENDRE SUR LE ROYAUME DES HOMMES.

PAF

GRARR

GNIIIIIIII

BING

CHPAF

PAF

FRÈRE JEAN, JE... JE ME SENS SI... INUTILE...

MON FILS, LA PAIX DE DIEU EST AUSSI UN COMBAT.

PAF

ABAM

ROULOT/MARTINAGE .06

Roulot/Martinage .06

4

...BEN OÙ QU'Y SONT PASSÉS CES DEUX-LÀ ?!

WOUHOU ! QUENTIN ?! CINDY ?!

C'EST PAS VRAI ! DITES-MOI PAS QU'ILS SONT ENCORE ALLÉS LÀ-BAS ?!!

OUPS...

NON MAIS COMBIEN DE FOIS VA FALLOIR QUE J'VOUS L'DISE !!!

AÏE!

'FAUT PAS JOUER AVEC LES GOBLINS ! C'EST SALE !

MÉHEUU !

...ON N'A JAMAIS LE DROIT D'RIEN FAIRE !

Roulot/Martinage '04

5

LES GARS ! J'AI TROUVÉ UNE SOLUTION POUR SAUVER NOS P'TIS CULS !

J'ENTENDS DÉJÀ CEUX QUI VONT TROUVER ÇA DÉGRADANT, MAIS C'EST COMME ÇA ! ALORS FERMEZ VOS SALES TROGNES !

...JE NOUS AI DÉGOTTÉ DES DÉGUISEMENTS DE NAINS.

ALLEZ ! DÉPÊCHEZ-VOUS ! ENFILEZ-MOI TOUT ÇA !

CHEF ! UNE ARMÉE ARRIVE !!

PAS DE PANIQUE ! N'OUBLIEZ PAS : VOUS ÊTES DES NAINS ! ALORS PENSEZ COMME DES NAINS, BUVEZ COMME DES NAINS ET PISSEZ COMME DES NAINS !

CHALUT À VOUS COMPÈRE ! J'VOIS QU'VOUS AVEZ DÉJÀ FAIT L'MÉNAGE DANS CE TERLIER À PEAU VERLTE !

...POUL'CHÛR, C'T'UNE VRAIE CHANCE DE VOUS AVOIR RENCONTRÉS !

HEU ! HUM... POUL'CHÛR...

ON PALTAIT JUSTEMENT EN CAMPAGNE CONTRE CES MAUDITS ORCS ! VOUS JOINDREZ-VOUS À NOT' COMPAGNIE ?!

OUÉ CHEF ! ON VA TOUS LES TUER CES SALES ORCS !!!

ILS NE FERONT PAS LE POIDS FACE À DES VRAIS NAINS COMME NOUS !!!

AH !! ÇA FAIT PLAISIR UN TEL ENTRAIN ! SUIVEZ-MOI !!

POUL'CHÛR MES NAINS !

C'EST BIEN LES GARS, VOUS ÊTES DANS LE RÔLE !

...VOILÀ, COMPÈRE ! COMME VOUS ÊTES PLEINS DE VIGUEUR, JE VOUS AI MIS EN PREMIÈRE LIGNE !

PARFAIT, COUSIN !

ALLEZ, MES NAINS ! TOUS EN RANG !!

MES NAINS ! IL VA FALLOIR DÉFENDRE C'TE LIGNE COÛTE QUE COÛTE !

POUL'CHÛR Y'AURA DES MORTS ! MAIS NOTRE CAUSE EST JUSTE !!!

EUH... DITES, CHEF...

...QUAND EST-CE QU' ON ARRÊTE D'ÊTRE DES NAINS ?

...J'VEUX PLUS ÊTRE NAIN, CHEF !

Roulot/Martinage .06

6

VOILÀ, C'EST POUR ME FAIRE PARDONNER. CELLE-LÀ FONCTIONNE PARFAITEMENT, JE VOUS L'ASSURE !

MOUAIS ...

GOÛTE-ÇA, TOI !

POUF

INCROYABLE ! ÇA A MARCHÉ !

ON VA LES MASSACRER !

HOURRA !

À L'ATTAQUE DU CHÂTEAU !!!

APPELLE LE CHEF, ON A UN PROBLÈME ...

HÉ... ! MAIS FAISEZ GAFFE, LES GARS !

ALORS, SOLDAT ?! CE PROBLÈME ?!

EUH... NON RIEN EN FAIT.

Roulot/Martinage '04

ROULOT/MARTINAGE.06

...ET UNE FOIS LE PONT-LEVIS OUVERT ET LES GARDES, NEUTRALISÉS, TU FAIS SIGNE AVEC LA TORCHE POUR QU'ON LANCE L'ATTAQUE DE MASSE ! COMPRIS !?

OKÉ.

LÀ ! LE SIGNAL !

GOBLINS ! À L'ASSAUT !!!

OUAAAH... LE VRAI PLAISIR DU JOUR, MON PÈRE ! TOUTE LA JOURNÉE À PLANTER DES PIQUES DANS LES DOUVES, J'EN PEUX PLUS, J'VOUS JURE... ENFIN SAUF VOT' RESPECT.

CERTES MON FILS, MAIS TOUT PLAISIR N'EST-IL PAS PLUS FORT QUAND IL EST PARTAGÉ ?

AÏE AÏE OUILLE PAF BING

AÏE...

Roulot/Martinage '04

...PARCE QUE TU COMPRENDS, BIQUETTE : UN VENDEUR SANS CLIENT, ET C'EST TOUTE L'ÉCONOMIE QUI S'ÉCROULE !

...D'OÙ LA NÉCESSITÉ D'ENTRETENIR LE FLUX DES RICHESSES, EN FAVORISANT L'ÉMERGENCE DE NOUVEAUX MARCHÉS À FORT POTENTIEL DE CROISSANCE.

HALTE-LÀ, VILAIN MARCHAND !!!

JE ME PRÉSENTE : GOBLIN DES BOIS, CELUI QUI VOLE AUX RICHES POUR DONNER AUX GOBLINS !

NE T'INQUIÈTE PAS, BIQUETTE ! LA SÉCURITÉ DES VOIES COMMERCIALES PERMET SEULE L'ÉPANOUISSEMENT D'UNE ÉCONOMIE LIBÉRALISÉE : IL NE PEUT RIEN NOUS FAIRE.

J'AI RIEN COMPRIS !

DONNE-MOI TON OR OU JE TE TUE AVEC MA MACHETTE.

GLOUP !

ATTENDEZ, SIRE GOBLIN ! NE ME FAITES PAS DE MAL ! TENEZ...

CES DEUX SACS D'OR SONT MES SEULES POSSESSIONS...

MAIS IL FAUT ME DONNER QUELQUE CHOSE EN ÉCHANGE, SINON, C'EST LA MORT DU PETIT COMMERCE !

MAIS ... JE N'AI RIEN !

DONNE TA MACHETTE !

CETTE VIEILLE MACHETTE ROUILLÉE CONTRE DEUX SACS PLEINS D'OR... L'AFFAIRE EST TENTANTE...

HEP ! GOBLIN !

OUI, MARCHAND ?!

TAP

À UN MOMENT, L'AFFAIRE M'A ÉCHAPPÉ ... MAIS OÙ ?

Roulot/Martinage '04

10

MAIS ... ON DIRAIT LE... L'ANNEAU DE ... MAIS OUI ...! C'EST BIEN LUI !!!

L'UNIQUE !!! L'ANNEAU DU MAÎTRE DES TÉNÈBRES !! IL EST À MOI DÉSORMAIS !

... MAILLE PRECHIOUSE !

TCHAC

TCHAC

TCHAC

ALORS, TU VOIS, MOI LE GOBLIN, JE L'APPÂTE À L'ANNEAU DORÉ.

... SINON IL BOUGE TOUT LE TEMPS.

PAS BÊTE ...

Roulot/Martinage '04

AÏE !
LES GUERRIERS
SQUELETTES DU
SEIGNEUR LICHE !

VITE !
PRÉVENIR LE
VILLAGE ...

OOOPS !
LES TROLLS
NOIRS !

QU'EST-CE
QU'ILS ONT TOUS À
PARTIR EN BALADE,
AUJOURD'HUI ?!

MISÈRE !!!

...LES ELFES DU
BOIS D'OMBRE !

ET LÀ !
LES DÉMONS
DU NORD !

...LES OGRES
DE BARBARIE !

...LES NAINS
D'AZKARAK !

CETTE GUERRE VA
ÊTRE UN VÉRITABLE
CARNAGE !! MANQUE
PLUS QUE LES
HÉROS ET...

CHTTTTT...

VLAN

C'EST NUL D'ENTERRER DES BELLES MINES COMME ÇA, ON LES VOIT MÊME PLUS !

SILENCE ! QUELQU'UN ARRIVE !

HALTE-LÀ, VILAIN MARCHAND ! JE SUIS GOBLIN DES BOIS ET IL TE FAUDRA PAYER SI TU VEUX PASSER PAR CE CHEMIN QUI EST DÉSORMAIS SOUS NOTRE CONTRÔLE GRÂCE À UN INGÉNIEUX SYSTÈME DE MINES.

AH.

ALORS LÀ, LES AMIS, MOI JE VEUX BIEN VOUS PAYER ! MAIS APRÈS COMMENT JE FAIS POUR PASSER ?

GLUP !

AÏE ! MON PLAN, POURTANT HABILE, EST EN TRAIN DE TOMBER À L'EAU...

ATTENDEZ UNE MINUTE ! C'EST QUOI COMME MINES ?

BAH... C'EST DE LA PETITE MINE DE DOUZE, LA VERSION STANDARD, QUOI...

CE GARS-LÀ EST UN PRO !

DÉTONATEUR CARBONE

CHAPPE TITANE

BASE CÉRAMIQUE

MÉLANGE NITRO

PLATINE À SILEX

LE BONUS MAISON, C'EST LE PETIT SAC DE BOULONS DE 14 FOURRÉ AU FOND.

PETIT ! SI CE QUE TU ME DIS EST VRAI, TU PEUX TE FAIRE DES GLOUILLES EN OR !!!

LE COURS DE LA MINE N'ARRÊTE PAS DE GRIMPER EN CE MOMENT À LA VILLE ! C'EST DE LA FOLIE ! ÇA SE VEND COMME DES PETITS PAINS !

ALLEZ, BANCO ! PARCE QUE VOUS ÊTES DES P'TIS GARS COMME J'AIME ET QUE JE SENS QU'ON VA DEVENIR BONS AMIS...

C'EST CE SAC D'OR QUE J'OFFRE LÀ, TOUT DE SUITE, AU PREMIER QUI COURT M'EN CHERCHER UNE !

ET DÉPÊCHEZ-VOUS AVANT QUE JE CHANGE D'AVIS ! C'EST LA CHANCE DE VOTRE VIE !

POUSSE-TOI !

NON ! TOI !

MAIS FAIS GAFF...

BOUM

LE DRAME DE L'ULTRA-LIBÉRALISME, C'EST QU'IL FINIT TOUJOURS PAR FAIRE DISPARAÎTRE LES PETITS ARTISANS.

Roulot/Martinage '04

IL EST NÉ
...

L'ÉLU !!!

OOOOH !

AAAAH !

REGARDEZ !
DES CHEVEUX
!!!

C'EST
LE SIGNE !
C'EST LUI,
L'UNIQUE !

DE CE JOUR, L'ÉLU FUT CONFIÉ AU CONSEIL DES SAGES ET SOUMIS À LA PLUS STRICTE ÉDUCATION.

LE MATIN ÉTAIT RÉSERVÉ À L'ENSEIGNEMENT DES SCIENCES.

L'APRÈS-MIDI, TANDIS QUE LES AUTRES ENFANTS COURAIENT LA LANDE EN RIANT...

...L'ÉLU APPRENAIT L'ART DE LA GUERRE AUPRÈS DES PLUS GRANDS MAÎTRES.

LE SOMMEIL ÉTAIT SON SEUL REFUGE. NUL NE SAVAIT ALORS JUSQU'OÙ LE MENAIENT SES SONGES SUBLIMES.

QUATORZE ANNÉES PASSÈRENT AINSI ...

QUAND VINT ENFIN LE JOUR MILLE FOIS BÉNI...

LA RÉVÉLATION !

LES DIEUX ALLAIENT PARLER PAR SA BOUCHE.

LE PROPHÈTE !

IL VA NOUS GUIDER !!!

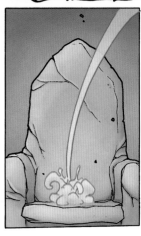

SPOUITH

AAH !

SYMPA ÇUI-LÀ !
IL ÉTAIT PLUS DOUX QUE LES AUTRES.

Roulot/Martinage '04

BEAUX, FIERS, ET TELLEMENT LIBRES ...

J'AURAIS TOUT DONNÉ POUR ÊTRE UN FLAMAND ROSE !

VRAI ?

PAF

ARRRG!!

CRAK

CRAK

ROULOT/MARTINAGE .05

MOI JE DIS QUE LA SOCIÉTÉ DU LOISIR LAISSE L'HOMME MODERNE BIEN DÉMUNI FACE AUX NOUVELLES FORMES DE VIOLENCE.

AH MAIS NON ! SI C'EST POUR ME DÉPOUILLER, JE VOUS ARRÊTE IMMÉDIATEMENT.

ON VIENT DE ME VOLER, PAS PLUS TARD QUE TOUT DE SUITE.

...

ET SI.

DANS MA FORÊT ?! DES GENS QUI SE PERMETTENT !?

COMME JE VOUS LE DIS...

AH ! ÇA NE VA PAS SE PASSER COMME ÇA !

ON NE DÉPOUILLE PAS SUR LES TERRES DE GOBLIN DES BOIS, COMPRIS ?

J'ENTENDS BIEN...

POUR SÛR.

SINON, ÇA DEVIENT N'IMPORTE QUOI !

SIRE MARCHAND, JE M'EN VAIS RÉGLER DE SUITE CETTE TRISTE AFFAIRE.

TU FAIS VOIR ?

MES FRÈRES ! NOUS ALLONS ENFIN CONSTRUIRE NOTRE ORPHELINAT !

ON N'AVAIT PAS DIT UN BORDEL ?

TU RENDS ÇA, PETIT MAL ÉLEVÉ !

VOLER LES GENS, C'EST PAS BIEN !

C'EST MAL !

BING BING

PAF

ET QUE JE NE VOUS Y REPRENNE PLUS, BANDE DE PETITS FORBANS !

PUFF... PUFF... TENEZ, MARCHAND ... AVEC LES FÉLICITATIONS DE GOBLIN DES BOIS !

C'EST SUPER MIGNON DE VOTRE PART !

HÉ MINUTE ! IL A SON OR, MAINTENANT !

HEP !!! MARCH...

FAIS-LUI MAL !

POUCE ! POUCE !!!

APRÈS, ON LUI METTRA DES PÉTARDS DANS LE C...

...UN BEL EXEMPLE POUR LA JEUNESSE, CE GOBLIN DES BOIS.

PAF PAF

PAF

Roulot/Martinage '04

18

LES GARS ! IL FAUT À TOUT PRIX QU'ON PASSE DE L'AUTRE CÔTÉ !

CHEF ! J'AI UNE IDÉE ! AMENEZ-MOI DU BOIS ET PAR UN HABILE SYSTÈME DE CONTREPOIDS, JE ...

NON ! LA MAGIE DOIT PARLER.

VATER ROCUS CAILLASSOUN !

PAR L'AIR, L'EAU, LE FEU ET LA TERRE !

INVERSE LES FORCES ÉLÉMENTAIRES ...

CHEMIN DE PIERRE !!!

CRRRAAAHH !!!

Pok

DIS-MOI, SHAMAN ! TU M'AVAIS CACHÉ QUE TU SAVAIS FAIRE DES TRUCS COMME ÇA !

MIENNE EST LA PUISSANCE DE CHANGER L'EAU EN ROCHE ... LE FLEUVE LUI-MÊME NE SAURAIT NOUS SUBMERGER !

TRAVERSEZ, MAINTENANT !

ET DÉPÊCHEZ-VOUS, ÇA SENT L'ORAGE ...

Pok

BONK

Roulot/Martinage '04

26

19

UNE GUIVRE ! C'EST MA CHANCE !

UNE FORMIDABLE MACHINE À TUER ! AVEC ÇA, JE SUIS LE MAÎTRE DU MONDE ASSURÉ !

Roulot/Martinage .05

GOBLIN À L'ASSAUT !

CAPTURAGE !

ALLEZ ! EN ROUTE, MA BELLE !

PLUS HAUT ! PLUS HAUT !

MAINTENANT, CAP SUR LE CHÂTEAU ! ON VA TOUS LES TUER !

MAIS NON ! JE T'AI DIT LE CHÂT... HOOOOO J'AI COMPRIS !

TOUT À FAIT ! TRÈS BONNE IDÉE !

HOP

BON, LES PETITS GARS, TOUS EN RANG ! MAMAN VEUT QUE JE VOUS APPRENNE LE COMBAT !

...MAIS C'EST PAS POSSIBLE !

CHEF ! CHEF ! ON A UN PROBLÈME ! LE PEUPLE SE MEURT D'ENNUI !

LE GOBLIN EST DÉSŒUVRÉ, IL NE CROIT PLUS EN SON AVENIR ! IL LUI FAUT UN PROJET ! UN BEAU PROJET !

LANCEZ UNE POLITIQUE DE GRANDS TRAVAUX ! FÉDÉREZ LE PEUPLE AUTOUR D'UNE ŒUVRE MAJEURE ! QU'IL RETROUVE SA FIERTÉ ! SA GRANDEUR !

LA GRANDEUR ...

ET VOUS SAVEZ QUOI ?

...J'AI LES PLANS !

...ET LÀ, D'UN CÔTÉ ON PEUT METTRE LE VERRE, ET DE L'AUTRE, LE RESTE DES ORDURES, VOUS COMPRENEZ.

Roulot/Martinage .05

EUREKA !

PRRFF...
VICTOIRE !

Roulot/Martinage 05.

...ET UNE FOIS LE BUTIN EN MAIN, ON REPLONGE DANS LES BUISSONS !

AVEC NOS DÉGUISEMENTS, PERSONNE NE POURRA NOUS RETROUVER, FOI DE GOBLIN DES BOIS !

MAINTENANT PLUS UN BRUIT ! J'ENTENDS DES CHEVAUX !!

... ET TOI SOIS GENTIL, ARRÊTE AVEC TES GROINS-GROINS.

GROIN!
GROIN!
GROIN

GROIN!

FRÈRE JEAN, QUEL PLUS BEAU MOMENT QUE LA SAISON DES AMOURS...

...POUR ESSAYER DE NOUVEAUX MOUSQUETS.

MON FILS, POUR NOTRE SEIGNEUR, TOUTE SAISON EST CELLE DE L'AMOUR...

PAN!

PAN!

BAM!

Roulot/Martinage '04

PAPI, REGARDE, UN CHAT CENDRÉ !! MON OISEAU PRÉFÉRÉ !

GROAR

DIS, PAPI... POURQUOI LA VIE ELLE EST AUSSI MÉCHANTE ?

AH ! MON PETIT ! LA VIE N'EST PAS VRAIMENT MÉCHANTE, C'EST UN CYCLE NATUREL.

... LES CHATS CENDRÉS MANGENT LES LAPINS. LES LOUPS MANGENT LES CHATS CENDRÉS ...

ET LES GROS SERPENTS MANGENT LES LOUPS ...

COMME TU VOIS, MON PETIT.

MAIS DIS, PAPI, 'Y A QUELQUE CHOSE QUE JE NE COMPRENDS PAS ...

NOUS ON EST OÙ DANS TOUT ÇA ?

Roulot/Martinage .05

25

DES TRACES DE SANG !!!

UN GOBLIN EST SÛREMENT EN DANGER !!!

...!?

WAAHHH !!! DES CENTAURES ! LA PUISSANCE DU CHEVAL, L'INTELLIGENCE DE L'HOMME !!! LA CLASSE AB-SO-LUE !!!

SÉRIEUX, JE SUIS FAN.

À PROPOS... ON A DÛ DÉJÀ VOUS POSER LA QUESTION, MAIS EUH... COMMENT VOUS FAITES POUR EUH... ENFIN, VOTRE...

ELLE EST PLACÉE À L'AVANT COMME NOUS, OU À L'ARRIÈRE COMME LES CHEVALS ?

EN FAIT, ON EST DES HYBRIDES...

ON NE PEUT PAS SE REPRODUIRE.

RUMIEUHM

AH D'ACCORD ! VOUS ÊTES COMME DES PONEYS !

DES PONEYS ?

AHAH !! DES PONEYS !! HAHA !

DES PONE...

SHPAF

DES TRACES DE SANG !!! UN GOBLIN EST SÛREMENT EN DANGER !

58

Roulot/MARTINAGE .06

26

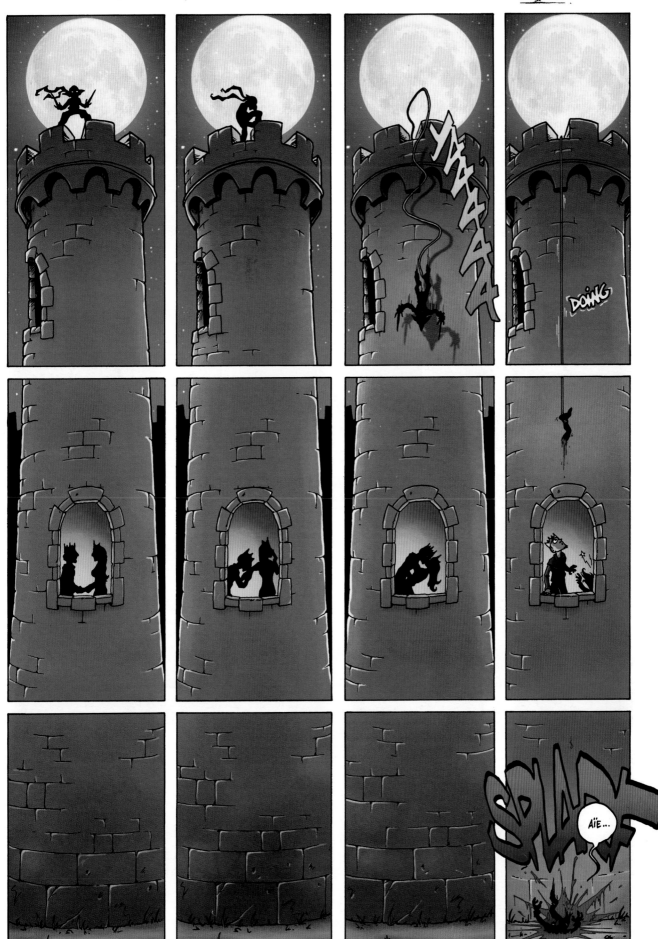

C'EST MALIN !

ALLEZ ARTHUR !

TOUS AVEC ARTHUR !

ROULOT/MARTINAGE .06

WAAAH ! TOUS CES ANIMAUX DRESSÉS !!!

M'SIEUR !! M'SIEUR !!! LAISSEZ-MOI VENIR AVEC VOUS !!!

LE DRESSAGE, C'EST MA PASSION ! MOI ET LES ANIMAUX, ON EST SUPER COMPLICES !

AHAH ! C'EST PAS GRAVE !!! JE VOUS MONTRE AUTRE CHOSE !!!

CLAK   CLAK   YA !
TCHA !
COUCHÉ !
SHLAC   YA !   AU PIED !   SHLAC
C'EST UN BON TOUTOU ÇA !

ARF... ALORS C'EST BON ?! JE SUIS PRIS ?

T'EN DIS QUOI, RAYMOND ? IL ME PLAÎT BIEN, CE PETIT BONHOMME !

IL EST MÊME TOUT À FAIT ÉPATANT !

NOUVEAU

LE FORMIDABLE PETIT HOMME VERT PARLANT

48.

Roulot/Martinage .06

CETTE FOIS, C'EST LA B...

AARRG!

DIS, MAMAN, EST-CE QUE JE PEUX MANGER LE PTI SANTON ?

PAS AVANT MINUIT, MA CHÉRIE, REPOSE-LE SUR LA BÛCHE.

36.

Roulot/Martinage .05

REGARDEZ CHEF ! MA DERNIÈRE INVENTION !

SHLIC SHLIC

UNE MACHINE À FAIRE DES CLONES DE NOUS !

SSSHROUF

BLANG

C'EST TOUT À FAIT IDIOT. ÇA SERT À QUOI ?

À SE FAIRE TUER À NOTRE PLACE, CHEF !

SHLIC

SHLIC SHLIC

C'EST PAS TRÈS GLORIEUX...

BAH VOUS SAVEZ, TANT QU'ON SAUVE NOS P'TIS CULS !

ALERTE !!! LES PALADINS DU ROI !!!

PAS DE PANIQUE !

TOUS DANS LES BUISSONS !

J'AI PROGRAMMÉ LES CLONES POUR QU'ILS FASSENT TOUT COMME NOUS !

PERSONNE NE VERRA LE SUBTERFUGE !

ET NOUS, ON N'A PLUS QU'À ATTENDRE TRANQUILLEMENT LA FIN DU MASSACRE...

C'EST BON ! ILS SONT BIEN LÀ !

SHLAK TCHAK

MERCI D'AVOIR DÉNONCÉ CES PETITS FILOUS !

BAH VOUS ZAVEZ, TANT QU'ON ZAUVE NOS BDIS CULS.

Roulot/MARTINAGE .06

ROULOT / MARTINAGE .06

REGARDE, M'MAN !!

OUTCH!

!?

UN P'TI GOBLIN TOMBÉ DU NID ! TU CROIS QUE JE PEUX LE GARDER ?

FAIS VOIR, J'AI L'IMPRESSION QU'IL EST BLESSÉ ?

OUI ! JE VAIS LE PRENDRE À LA MAISON POUR LE SOIGNER ! ET APRÈS ON SERA SUPER COPAINS !!

TU SAIS, QUENTIN... IL A DÉJÀ UNE FAMILLE...

MAIS IL A BESOIN DE MOI ! JE VAIS LE NOURIR ! ET LE PROTÉGER ! ET LUI APPRENDRE À VOLER AUSSI !

...JE LE FERAI JOUER AVEC LE BÉBÉ LOUP DU VOISIN !

STEUPLÉ, M'MAN ...

QUENTIN, TU AIMERAIS TOI QU'ON T'ENLÈVE À TA MAMAN ?

ALLEZ... REPOSE-LE DANS SON NID.

TU SAIS DANS CES CAS-LÀ, MIEUX VAUT FAIRE CONFIANCE À LA NATURE.

Roulot/Martinage .06

LE PROBLÈME DU PAUVRE, C'EST QU'IL EN VEUT AU RICHE D'AVOIR DE L'ARGENT ! OR, IMPOSSIBLE D'ÊTRE UN RICHE SANS ARGENT !

FSHHHH

HALTE-LÀ VILAIN MARCHAND ! JE SUIS GOBLIN DES BOIS !

ET TU N'AS NULLE PART OÙ T'ENFUIR ! ALORS DONNE-MOI TON OR !

D'ACCORD, TRÈS BIEN... TIENS.

OUAH MERCI, JE EUH...

MAIS... DIS-MOI, P'TIT, TU AS PENSÉ À CE QUE TU ALLAIS FAIRE DE TOUT CET ARGENT ?

BEN EUH NON... EN FAIT J'AVAIS... ENFIN, JE CROIS QUE J'AIMERAIS...

POURQUOI TU NE MONTERAIS PAS UN PETIT COMMERCE AVEC MOI ?

T'AS UNE BONNE MISE DE DÉPART, MOI JE TE FORME CONTRE UN PEU DE MONNAIE, ET D'ICI DEUX SEMAINES, T'ES UN HOMME RICHE ! JE VEUX DIRE VRAIMENT RICHE !

MAIS JE EUH... VOUS CROYEZ QUE JE VAIS Y ARRIVER ?!

BIEN SÛR ! ALLEZ, VIENS PAR-LÀ, JE VAIS T'APPRENDRE COMMENT VENDRE AUX IDIOTS DES TAS DE CHOSES INUTILES !

... QUELLE BELLE LEÇON !

Roulot/Martinage .05

35

EXTRA-ORDINAIRE...

C'EST EXACTEMENT CE QU'IL NOUS FAUT !

LOS FORCADOS
CORRIDA SANS MISE À MORT

PRÊTS, LES GARS ?!

PRÊTS !!!

ROULOT / MARTINAGE .05

MOI BIQUETTE, J'ADORE LA FÊTE... CE CÔTÉ HEUREUX D'ÊTRE ENSEMBLE. HAPPY TOGETHER, TU VOIS.

HALTE MARCHAND !!! JE SUIS GOBLIN DES BOIS ET J...

HÉ ! GOBLIN DES BOIS ! COMMENT VA ?

BIEN BIEN MERCI ? EUH... ET VOUS ?

TRANQUILLE... LES GOSSES, LE BOULOT, TU SAIS CE QUE C'EST...

BEN NON...

...

MAINTENANT, DONNE-MOI TON OR !!

POP POP ! D'ABORD TU ME RANGES ÇA, ET ENSUITE TU REGARDES.

LE ROI ORGANISE UN CONCOURS DE TIR À L'ARC.

LE VAINQUEUR EMPORTE LE CŒUR DE LA PRINCESSE, SI TU VOIS CE QUE JE VEUX DIRE...

DONNE-MOI ! DONNE-MOI !

ATTENDS ! POUR CINQ PLACES ACHETÉES, T'EN AS UNE GRATUITE ! T'EN PRENDS COMBIEN ?

BLING! BLANG! BLANG!

POUR LE CONCOURS, S'IL VOUS PLAÎT ?

T... TOUT DROIT...

MERCI MON GUEUX.

BLANG BLANG BLANG

1.

RAH ! ON VOIT RIEN, PAR ICI !

MAIS VA-T'EN TOI, VILAIN CHIEN !

EXCUSEZ-MOI, MADAME ? LE PAS DE TIR ?

PAR LÀ-BAS, MON PTIT BONHOMME.

...ET C'EST AINSI QUE LE MEILLEUR D'ENTRE VOUS, CHAMPION DE CE ROYAUME, RECEVRA LA MAIN DE MA FILLE BIEN AIM...?!

BLANG! BLANG! BLANG!

VOYONS CETTE CIBLE ...

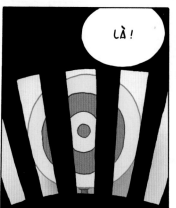
LÀ !

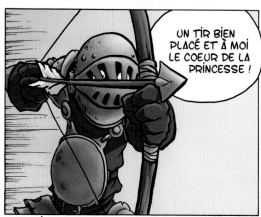
UN TIR BIEN PLACÉ ET À MOI LE COEUR DE LA PRINCESSE !

SHLAK!

... ASSASSIN !!!

MERCI HO HO! YOUHOU! HÉ HÉ! CHAMPION DU MONDE

2

PROFITE BIEN DE TA DERNIÈRE NUIT ! DEMAIN...

...TA TÊTE SERVIRA DE BALLON À MES MÔMES, ESPÈCE DE GOBLIN DÉBILE.

HÉ ! TOI-MÊME !

PLUS TARD...

MES PETITS GARS, GOBLIN DES BOIS EST ENTRE LES GRIFFES DU ROI.

IL FAUT LE TIRER DE LÀ !

POUR ÇA, ON VA AVOIR BESOIN D'UN PLAN BIEN FICELÉ...

QUI PARMI VOUS A UNE IDÉE ?!

MOI

MOI

MOI

MOI

MOI

MOI

MOI

NYAAAAA

SHPAF

T'EXCITE PAS, P'TIT GARS, 'Y A JAMAIS PERSONNE POUR NOUS DEHORS.

MESSAGE SECRÉ POUR GOBLIN DÉ BOIS

ON A UN PLAN MACHIAVÉL POUR TE SOVE T'EN FÉ PA

LÉ GOBLIN

26bis.

39

...ET PAR LA VOLONTÉ DU ROI,

LE PRÉVENU EST CONDAMNÉ À AVOIR LA TÊTE TRANCHÉE JUSQU'À CE QUE MORT S'ENSUIVE.

...ET DEPUIS QUE JE LUI DONNE DES CROQUETTES, SES SELLES ELLES SONT EUH... MIEUX.

C'EST SÛR.

GRRF GRRR GRRR

BOURREAU, FAIS TON OFFICE !

OUIIN!

GLOUPS

MAINTENANT !

CLIC!

WARF WARF GRRR WARF

Bip

WARF WARF

...

Bip Bip Bip

BOOUM

LA DIVERSION ! À MOI DE JOUER !

3

TUE-LE !
TUE-LE !

AHAHAH !
MERCI L'AMI !!!

?!

AIE !

OUTCH !

DEBOUT, L'AMI, IL EST
TEMPS DE SE FAIRE
LA BELLE !

4.

41

ET ON A UNE JOLIE SURPRISE POUR TOI !

CLIC

MON TOUT NOUVEAU GOZMO-JET !!

ATTACHEZ VOS CEINTURES !!! ON DÉCOLLE !!!

THREE !!! TWO !!! QUAT... SIX ...

IGNITION !!!!

MAYDAY ! ON PERD LE CONTRÔLE !!!

VOYANTS ROUGES À TRIBORD !!!

J'PEUX PLUS RÉÉQUILIBRER !!

GOBLIN DES BOIS ! REDRESSE ! MAIS REDRESSE !

... GOBLIN DES BOIS ?!

IL EST LÀ !!!

TAILLEZ-MOI UN SLIP DANS LA PEAU DE CE GOBLIN !

GASP !

DÉSORMAIS NOUS SOMMES INVISIBLES.

NOUS ALLONS TRANQUILLEMENT REGAGNER LA SORTIE ET TU SERAS SAUVÉ.

T'ES SÛR QUE ÇA MARCHE TON TRUC ?

BIEN SÛR ! JE SUIS SHAMAN, JE PARLE AVEC LES DIEUX.

POURQUOI JE TE VOIS, ALORS ?

6.

TU AS RAISON, JE TE VOIS AUSSI.

HMMMM... QUEL ÉTAIT DONC CE SORT ..?

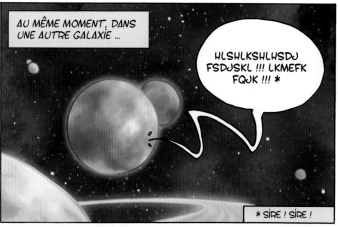

AU MÊME MOMENT, DANS UNE AUTRE GALAXIE ...

HLSHLKSHLHSDJ FSDJSKL !!! LKMEFK FQJK !!! *

* SIRE ! SIRE !

DFDDDEFS !!! *

*UNE BÊTE DÉMONIAQUE VIENT DE SE MATÉRIALISER DANS NOTRE DIMENSION !

GASP ! *

* FACE À UN ENNEMI CAPABLE DE TELS PRODIGES, C'EST LA FIN.

AUCUNE IMPORTANCE.

SHAMAN ! ON EST REPÉRÉS !

SOIS SANS CRAINTE, LES DIEUX SONT AVEC NOUS !

Ô DIEUX DE LA CRÉATION INFINIE, ENTENDEZ MON APPEL ...

... C'EST ENCORE LES GOBLINS.

JE TRAVAILLE.

(TULULU) DÉSOLÉ, VOTRE DIEU NE PEUT VOUS RÉPONDRE POUR LE MOMENT. JE VOUS METS EN ATTENTE. (TULULU)

7.

44

BON ! MAINTENANT ÇA VA BIEN !

SHCLAK

LA GRILLE !!!

TSHINS

BING

CLAC

WOUAAH !!

HÉ! HÉ!

SHPAF

DITES CHEF... ON N'ÉTAIT PAS VENUS POUR LE SAUVER ?

BAH... MAINTENANT QU'ON EST LÀ...

GOBLINS ! À L'ASSAUT !

FAITES CHAUFFER L'HUILE.

PSSHHHHH ! PSSHHHHH !! PSSSSHHHHH !

JE TE DISAIS, BIQUETTE, J'ADORE LA FÊTE. MAIS ALORS CES ODEURS DE FRITURE ET DE MERGUEZ GRILLÉES, C'EST TOUJOURS INSUPPORTABLE !

FIN.

Roulot/Martinage .05

9.